EPHESE

ÉPHÈSE
Les civilisations de L'Anatolie occidentale et les merveilles de la nature

LOCALISATION D'ÉPHÈSE

Éphèse est située à l' extrême ouest du continent asiatique, à l'ouest des terres appartenant à la République turque et dénommées Asie mineure ou Anatolie, à 10 km de la Mer Egée, dans la région historique de SELÇUK située sur la route Aydın - Izmir.
Elle est à 680 km d'Istanbul, 615 km d'Ankara, 408 de Çanakkale, 74 d'Izmir, 52 d'Aydın, 175 de Denizli (Hiérapolis), 175 de Bodrum et 465 d'Antalya (voir la carte).

COMMENT ALLER A ÉPHÈSE

On peut s'y rendre de deux façons
1.) Soit par taxi, dolmuş ou car qui empruntent une magnifique route asphaltée de 74 km partant d'Izmir, et qui vous ménent une heure plus tard à Selçuk (Ephèse). La distan-

ce entre Selçuk et Ephèse est de 4 km. Le retour sur İzmir est ausi facile que l'aller et il est toujours possible de trouver un moyen de locomotion.

2.) De Kuşadası: La plupart des touristes qui pour se rendre à Ephèse, arrivent par bateau à Kuşadası (Scala Nova), située au bord de la mer Egée, cité baignée par la mer et le soleil, de là empruntent une route asphaltée de 19 km qui les conduit jusqu' au site antique

ÉPHÈSE

Ce nom nous rappelle, non seulement la ville elle-même, mais aussi les lieux historiques où vécurent Artémis, Saint-Jean et la Vierge Marie, et où se rendent en pélerinage depuis deux mille ans, les croyants du monde entier. Ces sites sont si éloignés les uns des autres (10 km. entre les maisons de la Vierge et de Saint - Jean) qu'une journée entière ne suffirait pas. Mais si vous passez une nuit à Selçuk, vous ferez connaissance non seulement avec les merveilles historiques comme la Maison de la Vierge découverte grâce aux visions d'une religieuse de Bohême, mais aussi avec l'hospitalité et les coutumes turques. Parmi les hôtels et motels où vous pourrez séjourner, nous vous signalons particulièrement la Pension Mengi, où vous apprécierez personnellement les délices de la cuisine turque. Vous lirez combien ceux qui sont venus avant ont été satisfaits des bons soins du propriétaire.

Ephèse a été érigée en Anatolie occidentale, la plus belle partie de l'Anatolie, d'ailleurs. Vous pourrez le sentir avant de pénétrer dans la ville d'Ephèse, dès que vous aurez atteint les portes de la cité. Il est difficile d'imaginer ce que pouvait être la beauté d'Ephèse à l'époque romaine où elle était la capitale de 500 villes anatoliennes, époque où Homère écrivait son Oeuvre immortelle, où Saint Jean découvrait le silence et la paix, époque lointaine où les brillantes et colossales colonnes du temple d'Artémis vous éblouissaient, 250.000 âmes vivaient alors dans cette ville où étaient réunis les artisans les meilleurs et les plus grands commerçants. Les fêtes d'Artémis qui se déroulaient chaque année à la mi-printemps (au mois d'avril) étaient des plus réussies. Le nombre des spectateurs qui remplissaient les théâ-

tres en ce mois atteignait un million d'âmes. Les vedettes du sport, les musiciens et les acteurs de théâtre attiraient des spectateurs non seulement des environs mais aussi d'Athènes et de Jérusalem, car la "Grande Artémis d'Ephèse" était en même temps l'une des sept merveilles du monde.

Les ruines d'Ephèse sont belles. Malgré leur ancienneté, malgré le vent des siècles qui a soufflé, malgré les destructions, ses vestiges demeurent dans toute leur majesté et leur ampleur sur plusieurs emplacements de l'ancienne ville. La cité avait été oubliée après sa destruction. Mais il y a un siècle, elle a été redécouverte. Ephèse fut pansée et restaurée rapidement au cours des dix dernières années et ce trésor d'histoire qui était enseveli sous la poudre des siècles fut présenté aux amateurs d'art.

HISTOIRE D'ÉPHÈSE

La ville avait été fondée à l'ouest de l'Anatolie sur le golfe dans lequel se jetait le fleuve, Küçük Menderes (le Caystre). Elle se trouvait au centre de l'ancienne Ionie qui jouissait d'un climat doux et tempéré. Elle possédait donc une position avantageuse, grâce à sa situation naturelle. La ville est située non seulement en Ionie, à un point qui relie l'Est et l'Ouest, mais elle est en même temps au carrefour qui relie les villes d'Ionie et Milet. Elle a sans doute le droit d'être fière puisqu'elle est le centre où sont nés des philosophes de l'Antiquité tels que Thalès, Héraclite, et la ville où se développèrent la science et les beaux-arts. Bien que les villes d'Ionie présentent au début un caractère religieux, elles se dotèrent par la suite d'une organisation politique. Chaque ville, avait sa propre administration.

Depuis sa formation, Ephèse fut soumise à deux principales influences: géologique et politique. Il est difficie de les discerner car l'une et l'autre furent la cause ou conséquence de l'autre. On ignore l'époque à laquelle fut fondée cette ville et l'on ne connaît pas ses fondateurs. On cite pourtant son existence, vers les années deux mille avant Jésus-Christ, près du temple de la "Déesse-Mère Cybèle" qui porta par la suite le nom d'Artémis. Mais les plus anciens avancent que la ville fut fondée par les Amazones et fut habitée par les Cariens et les Lélèges.

L'ÉPOQUE IONIENNE A ÉPHÈSE

La ville fut occupée par les Ioniens au onzième siècle avant Jésus-Christ. Androclès, le fils de Codros l'Athénien bâtit la ville à un kilomètre et demi du Temple, au bord de la mer où il installa les sanctuaires érigés en l'honneur d'Athéna et d'Apollon. L'Acropole dont on ne trouve plus trace était en face du stade - Sur le plan, elle occupe la colline où se dresse la Fontaine byzantine. Androclès qui, jusqu'au IV ème siècle, administrait le pays grâce à un système semi aristocratique devint un tyran sur la fin de son règne. La dynastie d'Androclès eut d'amples rapports avec les rois de Lydie. En 541 avant Jésus-Christ, Crésus, roi de Lydie, assiégea la ville et obligea ses habitants à habiter la plaine voisine non loin du temple d'Artémis. A cette époque vivait le philosophe Héraclite (540-480 avant Jésus-Christ) dont la pensée a influencé en grande partie l'époque antique. Après les guerres persiques une vraie démocratie régna à Éphèse. Au cours des guerres du Péloponnèse, elle dépendit d'abord d'Athènes puis de Sparte. Elle fut dominée par les Perses après la guerre de 404 avant Jésus-Christ. Mais elle fut délivrée du joug des Perses par l'arrivée d'Alexandre le Grand en Anatolie (334 avant Jésus-Christ).

Par la suite, la plaine fut envahie par les alluvions charriés par le Caystre, et son contact avec la mer fut rompu. La plaine transformée en marécage menaça la population de la ville de la malaria. Lysimaque

Vue d'ensemble

jugea que cette ville entourée de maréca-
ges ne servirait plus à ses habitants, non
seulement du point de vue commercial,
mais aussi du point de vue de la salubrité
et qu'elle pourrait être dangereuse. Il pensa
alors la transférer dans la vallée située
entre le mont Panayir et le Mont Bülbül, et
réalisa son projet malgré les grandes diffi-
cultés que celui-ci présentait. Le nouvel emplacement étant plus confortable et plus sa-
lubre pour ses habitants, Lysimaque fit
encercler la ville d'un mur dont nous retrou-
vons de nos jours les vestiges. La population de la cité ne voulant pas l'abandonner,
il fit bloquer les canalisations qu'il ouvrit par
la suite inondant totalement la ville, ce qui
poussa ses habitants à la quitter définitivement. Il baptisa la nouvelle ville du nom de
son épouse Arsinoé (Arsinoeia) et avec ses
stades, ses gymnases et ses théâtres elle
devint plus tard la ville la plus riche et la
plus florissante de l'époque ainsi que le centre commercial le plus important. Ephèse
qui se développa aussi à l'époque hellénistique et romaine doit tout à Lysimaque.

L'ÉPOQUE ROMAINE A ÉPHÈSE

Après la mort de Lysimaque. Ephèse passa
sous le joug de l'Egypte et de la Syrie, puis
sous la domination de l'Empire Romain en
180 avant Jésus-Christ. Rome gouverna
longtemps Ephèse par l'intermédiaire des
rois de Pergame qui lui demeuraient fidèles.
Ephèse qui, au début, à la suite des guerres, menait une existence pauvre, vécut
dans l'opulence à l'époque d'Auguste (63
avant Jésus-Christ - 14 après Jésus-Christ).
Elle devint la capitale romaine d'Asie Mineure. La population vivait dans la richesse et
l'abondance. L'écrivain de l'époque, le grand
Aristide, disait au sujet de cette ville "Ephèse
est la banque de l'Asie". Les bâtiments religieux, culturels et sociaux dont vous remar-
quez les ruines sur les photographies datent
presque tous de cette époque. Le III ème
siècle après Jésus-Christ annonce la fin des
beaux jours d'Ephèse. Il est évident qu'à
l'époque où les Goths pillaient le Temple
d'Artémis ils n'allaient sans doute pas épar-
gner Ephèse qui devait subir le même sort.
Au IV ème siècle, Ephèse devint le centre

des activités épiscopales de Rome. Au V
ème siècle, le troisième Concile qui représente un des évènements les plus impor-
tants de l'Histoire du Christianisme tint sa
réunion dans l'Eglise de la Vierge (Haghia
Maria). A cette réunion participèrent 200
archevêques encouragés par l'Empereur
Théodose. C'est au cours de ce Concile que
fut approuvé le dogme de la Maternité divine
de la Vierge.

ARTÉMIS

"L'Artémis d'Ephèse est majestueuse".
Le pays d'Artémis, la déesse de l'abondance, était à l'embouchure du Petit Mendérès
(le Caystre). Cette cité qui était très animée
perdit son importance quand le golfe fut
comblé par les alluvions du fleuve.
On admet que dans les temps anciens,
avant l'époque ionienne, la déesse de l'abondance régnait en Asie Mineure. Les plus anciens habitants de ces terres, les Cariens
et les Lélèges nommaient "Grande Mère" la
déesse de l'abondance qu'ils adoraient.
Nous trouvons le thème de la même déesse
en étudiant la culture de cette époque. Tout
en ignorant son nom, nous connaissons son
existence. Lorsque les Ioniens arrivèrent
dans cette région, ils nommèrent Artémis
cette divinité. Le mot vient du grec.
Lorsque les Ioniens parvinrent à l'embouchure du Caystre ils découvrirent un temple
juste au milieu de deux routes qui menaient
du port vers l'intérieur du pays. Ce temple
était entouré de murs et contenait une statuette en bois sculpté représentant Artémis
(la divinité): C'est justement cette statuette
qui fut la première représentation d'Artémis, l'une des merveilles du monde.
Le temple fut démoli lorsque Crésus, roi de
Lydie occupait ces régions. Plus tard, à la
demande de Crésus, il fut reconstruit sur le
même emplacement - c'est la dépression
qui se trouve à 100 - 150 mètres à droite
de la route qui va de Selçuk à Ephèse - une
colonne a été reconstituée. Crésus fit cadeau de quelques colonnes qui devaient
orner ce temple.
En 334 avant Jésus-Christ, Alexandre le
Grand qui aimait et vénérait beaucoup Arté-

mis, vint là, après avoir battu les Perses. Il organisa une grande parade en l'honneur de la déesse et fit savoir à la population d'Ephèse qu'il était prêt à assumer toutes les dépenses qui seraient faites au nom de la déesse. Les Ephésiens ne pouvant accepter pareille proposition qui les blessait dans leur fierté répondirent en invoquant qu' " il ne serait pas juste qu'un Alexandre âgé alors de 22 ans et qui recevrait plus tard le titre de "Grand" puisse éprouver un si grand penchant envers Artémis", et le jeune Alexandre apprécia leur réponse. La nuit de la naissance d'Alexandre en l'an 356 avant Jésus-Christ à Pella, capitale de la Macédoine, située près de Salonique, le temple d'Artémis fut incendié par un psychopathe du nom d'Hérostrate qui par son geste voulait se faire connaître et qui par la suite est devenu vraiment célèbre. Après cette catastrophe, on avait demandé à la population d'Ephèse "pourquoi leur déesse n'avait pas défendu son temple contre l'incendie?" ce à quoi les habitants avaient répliqué qu' "elle ne le pouvait pas car elle s'était rendue la même nuit à Pella à l'occasion de la naissance d'Alexandre le Grand" Aujourd'hui, il ne reste plus qu'un grand trou là où jadis s'élevait le plus prestigieux monument de l'époque.

A la suite de l'incendie le temple fut à nouveau restauré par Praxitèle et par des artistes connus de l'époque. C'était surtout la statue de la déesse en marbre brillant et en or qui éblouissait les yeux.

Quant à l'histoire de la phrase. "L'Artémis

d'Ephèse est grande" que nous rencontrons en plusieurs endroits, elle découle de l'incident suivant:

Aux premiers jours du christianisme se déroulait le conflit afin de savoir si c'était l'idolâtrie (Artémis) ou bien Dieu (la chrétienté) qui devait l'emporter. L'un des précurseurs de cette lutte fut Saint-Paul. Un bijoutier de l'époque, Démétrius, fabriquait des répliques miniatures en argent de la statue d'Artemis qu'il vendait. Il eut vent des sermons faits par Saint-Paul qui avançait que les objets fabriqués par l'homme ne pouvaient pas être Dieu et qu'il ne serait pas bon d'adorer tout ce qui était fabriqué par l'homme. Démétrius qui ne voulait pas être dupe de pareille propagande, ne tarda pas à instruire ses ouvriers de la chose. Ces hommes qui croyaient de tout coeur en la déesse Artémis et qui craignaient de perdre leur commerce au cas où le temple perdrait de son prestige, se dirigèrent ensemble vers le grand Théâtre en s'écriant "Grande est l'Artémis des Ephésiens." L'assistance était si nombreuse qu'une grande partie ne put comprendre la raison qui les avait réunis. La situation était vraiment inextricable. Des discours furent prononcés. le gouverneur fut obligé d'intervenir. La question fut portée en justice et Saint Paul obligé de quitter la ville.

Le Temple d'Artémis est non seulement un chef-d'oeuvre, mais aussi un sanctuaire qui attira les foules pendant au moins mille ans. Les plus grands peintres et sculpteurs ont participé à sa construction.

THERMES DE VARIUS

ODÉON

DEA ROMA

PRYTANÉE

BASILIQUE

PORTE D'HÉRACLÈS

MONUMENT DE MEMMIUS

TEMPLE D'ISIS

VUE DES COURÈTES

FONTAINE DE POLLIO

AGORA D'ÉTAT

PLACE DE DOMITIEN

TEMPLE DE DOMITIEN

MONT CORESSOS

© SEMRA AKBULUT 1991

Emplacement du Temple d'Artémis

SAINT-JEAN

A cette époque, les disciples de Jésus-Christ, Saint-Paul et Saint-Jean vécurent dans ces lieux en tant que précurseurs de la religion chrétienne. Durant cinq à six ans où il demeura à Ephèse en travaillant dans son magasin, Saint-Paul consacra toute son activité à répandre la nouvelle religion. Saint-Jean passa les dernières années de sa vie à Ephèse où il écrivit l'Evangile et mourut. Sa tombe se trouve sur la colline d'Ayasuluk. L'Eglise qui fut érigée sur sa tombe par l'empereur Justinien est considérée comme l'un des grandioses monuments du Moyen Age.

Lorsque Jésus fut crucifié, sa mère et Saint-Jean se trouvaient à ses côtés. Jésus montra Saint-Jean à sa Mère et lui dit: "Mère, voici ton fils". puis se tournant vers Saint-Jean il lui dit: "Voici ta mère Marie". C'est ainsi que son disciple prit avec lui la sainte Vierge et ne l'abandonna jamais. Après l'assassinat de Saint-Jacques, Saint-Jean comprit qu'il ne pouvait plus rester en Palestine et qu'il ne pouvait pas laisser la Sainte Vierge Marie qui lui avait été confiée, dans un lieu si peu sûr. Pendant des années, entre 37 et 48 après Jésus-Christ on n'eut pas de nouvelles de Saint-Jean, alors que tous les autres apôtres essayaient de répandre la nouvelle religion. Cette absence de 11 ans laisse supposer que Saint-Jean se trouvait à Ephèse durant ces années écoulées. Dans les Actes des Apôtres XVI, 19, on s'adresse à Saint Jean en ces termes: "Les Eglises d'Asie vous saluent". Au cours de la première moitié du VI ème siècle après Jésus-Christ, l'empereur Justinien fait ériger une basilique sur l'emplacement de la tombe de Saint-Jean. Celle-ci est située sur la petite colline d'Ayasuluk à l'est du Temple d'Artémis. La ville fondée par Lysimaque commença à s'étendre sur les flancs de la colline d'Ayasuluk, ceci pour des raisons économiques et de salubrité. Ainsi au X ème siècle, Ephèse se dresse sur cet emplacement.

Vue d'ensemble de la basilique Saint-Jean

L'ÉGLISE SAINT-JEAN

Les questions soulevées par la venue ou non à Ephèse de la Vierge n'existent pas pour Saint-Jean. Autrement dit, Saint-Jean est arrivé à Ephèse où il a vécu et écrit la Quatrième Evangile, et où il est mort. Il écrivit l'Evangile en question dans une église située sur cette colline. Celle-ci existait déjà avant les Seldjoukides. Il ressort des documents découverts pendant les fouilles - dont la majeure partie a été transportée en Grèce ainsi qu'en Autriche - qu'il existait cinq petites tombes autour de celle de Saint-Jean. Saint-Jean avait désiré lui-même que les autres tombes formassent une croix autour de la sienne. Dès le début du christianisme, le monde chrétien a considéré l'emplacement comme étant un lieu de pélerinage qu'il a toujours visité. Cette église fut détruite par la suite par les fléaux de la nature et l'empereur Justinien la fit complètement disparaître, pour la remplacer par une plus grande. Cette église à coupoles possédait une entrée à colonnes. L'église formée de six grandes et de cinq petites coupoles était à deux étages et mesurait 110 m. de long. Les coupoles étaient recouvertes de fresques et de mosaïques. Des pièces de monnaie appartenant à la fin du premier siècle, ont été découvertes au cours des fouilles. Ceci indique une fois de plus que le tombeau de Saint-Jean était un lieu de pélerinage fréquemment visité à l'époque. Son puits, ses reliques qui guérissaient tout le monde, étaient situés sous ces coupoles. L'eau miraculeuse qui coulait près de la tombe de Saint-Jean présentait une valeur toute particulière pour les pèlerins de l'époque. C'est ainsi que Saint-Jean vécut pendant 4 à 5 ans près de sa rivale Artémis. Cependant personne ne toucha au sanctuaire chrétien alors qu'on pilla à plusieurs reprises l'Artémision. Saint-Jean qui était le plus proche du Christ et de la Vierge Marie est l'annonciateur de l'amour divin et humain, et il restera ainsi.

Sa tombe digne d'un grand apôtre a été érigée sur les montagnes à l'instar du sanctuaire de la Sainte Vierge Marie. Son souvenir ne sera jamais oublié par le monde occidental.

Bien que les Turcs aient occupé Ephèse au début du onzième siècle, les Byzantins ne la quitteront pas avant le début du XIV ème siècle. A cette époque la ville fut conquise par Isa Bey de la famille des émirs de Menteşe (Menteşe Oğulları). (On remarque plus bas la mosquée Isa Bey qu'il fit ériger en son nom) La ville fut plus tard la capitale des émirs d'Aydın (Aydınoğulları). (1348).

Ephèse fut occupée en 1390 par les Ottomans. Puis elle perdit de sa prépondérance et fut dépassée par İzmir. En 1914, le nom d'Ayasuluk fut changé en celui de Selçuk. Sa population qui était de 1000 personnes 50 ans auparavant atteint à présent le chiffre de 18.000.

La basilique Saint-Jean

LA VIERGE MARIE

Dans un passage extrait du troisième concile et s'adressant à la population de Constantinople (İstanbul), on peut lire "Cum in Ephesiorum civitatem pervenisent, in qua Yoannes Theologus et dei para Virgo Sancta Maria".

"Lorsque le théologien Jean et la Mère de Dieu la très Sainte Vierge Marie arrivèrent à Éphèse…" Nous ignorons totalement les détails se rapportant à la vie et à la mort de la mère du Christ. Toutefois les deux proches de Marie, Luc et Jean ne nous laissent pas dans l'incertitude, mais chacun nous parle d'une façon différente de la Vierge Marie. Luc, dans son Evangile, nous montre Marie comme une personne qui a pleine confiance en l'avenir. Les apôtres annoncent déjà la gloire du christianisme et c'est surtout Saint-Paul qui attribue cette gloire au mérite du Christ. Luc raconte la vie de la Sainte Vierge jusqu'à la pâque de son Fils où elle assiste.

Mais Saint-Jean voit les choses sous un autre angle, il songe plutôt au développement d'une nouvelle ère. La naissance de cette humanité est sans doute complètement différente, et pleine de tourments. Mais la religion se propage et se fait connaître malgré les souffrances, les luttes et les dangers de mort. Et c'est la Vierge Marie qui s'élève au milieu de toute cette lutte. La Vierge Marie remarque sous la Croix le sang qui coule des pieds de Jésus-Christ. C'est là justement l'heure sainte de la naissance d'une nouvelle civilisation qui coule des pieds de Jésus-Christ. C'est là justement l'heure sainte de la naissance d'une nouvelle civilisation qui s'annonce. Marie et Jésus, le fruit de ses entrailles, souffrent du mal causé par le démon de l'Enfer. Marie s'enfuit dans le désert. Dieu lui a réservé là une place où elle pourra se nourrir. Saint-Jean, le grand héritier de Jésus parle en ces termes de la mère de Jésus qui lui été confiée, Jean sait tout au sujet de Marie. Il ne l'abandonnera jamais, restera chez elle. Il est évident qu'après Jean, la Vierge devait habiter un lieu loin de tout démon, particulièrement après la crucifixion de son fils. Il est donc impossible que la mère de Jésus habite encore à Jérusalem. Elle fuit la ville qui importunait les chrétiens, et la population de cette ville qui les indispose. Près d'Ephèse se trouve "Panaya Kapulu" montagne où vivait la Vierge, vallée entourée de forêts, tranquille et éloignée de tout bruit qui nous semble plus sympathique. C'est là que Marie trouvera un refuge de tranquillité complète.

Lorsque les fidèles montaient une fois par an à la montagne Solmissos afin de célébrer l'anniversaire d'Artémis lors de la fête des Mystères, ils ignoraient que la vraie personne qu'ils devaient visiter était la Vierge Marie retirée dans son coin. Il est enfin fort probable que Saint-Paul savait que Marie habitait Ephèse. Dans son livre intitulé "Eizerische Kirchenzeitug" qui vient de paraître, F. Strichter dit: "Saluez Marie qui n'habite pas Rome, mais Ephèse."

L'ÉGLISE DE SAINTE-MARIE A ÉPHÈSE

Les trois premiers siècles gardent un silence complet au sujet de la mort et du sort de Marie. Il est probable que Dieu en ait voulu ainsi. Le monde antique n'a pas pu comprendre la personnalité de la Vierge Marie. Mais la ville d'Ephèse a su valoriser et illustrer "La Sainte Vierge". La première église chrétienne d'Ephèse a été bâtie en son nom au centre d'une place très large, dans un ensemble qui nous étonne, parée de colonnes, dans un style classique digne d'elle. C'est l'Eglise Mariale. Aucun visiteur d'Ephèse ne manque de visiter les ruines de l'église Sainte-Marie fort intéressante non seulement du point de vue spirituel, mais aussi par sa splendeur architecturale.

Certains anciens drogmans parlent "d'une dualité" de l'église. Cette signification n'est pas certaine. L'ancien bâtiment soumis au sort de la ville a été modifié à trois reprises. L'église classique avait une longueur de 260 mètres. Le baptistère construit sur des colonnes a été entouré d'une belle basilique. Le Concile du Saint-Synode a choisi ce lieu comme capitale en l'an 449. Après sa destruction, la partie donnant à l'ouest a pris la forme d'une basilique. Et lorsque celle-ci tomba à son tour en ruines, la partie est de l'ancienne basilique a été transformée en

Église de l'Haghia Maria

église.

Le baptistère de cette église est l'un des mieux conservés en Asie mineure. Ephèse comptait de nombreux amis grâce à la Vierge Marie. La ville recouvrit ensuite son ancienne importance. C'est un lieu très intéressant du point de vue architecture, archéologie, histoire et religion. Cependant Ephèse occupe une place toute particulière. Elle rappelle à l'homme moderne et au croyant l'histoire du christianisme ainsi que celle des grands saints tels que Jean, Timothée et surtout la Sainte Vierge, Mère du Christ. Le modeste petit sanctuaire de la Vierge Marie au Mont de "Panaya Kapulu" se révéla par la suite un lieu de miracles et un très beau site qu'on ne pouvait même pas imaginer.

Nous tenons à exprimer ici nos remerciements à la chère Turquie courtoise envers ses hôtes pour l'intérêt qu'elle porte à ces sujets.

PANAYA KAPULU ou LA MAISON DE LA SAINTE VIERGE A ÉPHÈSE

Par François Psalty

Deux théories sont avancées depuis des siècles dans le monde chrétien au sujet de la Vierge Marie et de son tombeau.

1. - La mort de la Vierge Marie est subvenue là où elle est née tel que le signalent les historiens lorsqu'ils disent "Dormitio Hierosoymitana" Elle est morte à Jérusalem."

2. - Toujours d'après les historiens, il se produisit une autre mort "Dormitio Ephesiana - Elle est morte à Éphèse." Cette mort heureuse s'est produite à Éphèse en présence de Saint-Jean à qui Jésus-Christ avait confié sa mère en expirant sur la Croix. (Saint-Jean XIX 26 - 27)

D'après la tradition latine. Saint-Jean déclare lui-même dans l'Evangile qu'il a reçu son disciple chez lui, par conséquent Saint-Jean a vécu à Éphèse dont il fut le chef religieux et où il est mort. Sa tombe au-dessus de laquelle Justinien a fait ériger une merveilleuse basilique est toujours là. Il est impossible que l'Apôtre ait abandonné loin de lui à Jérusalem la Sainte Vierge que son Seigneur lui avait confiée.

Toutefois la tradition d'Ephèse possède des preuves historiques très puissantes qui remontent jusqu'au VII ème siècle. Et cette thèse est vigoureusement défendue par Cornelius, Lapide, Serry Tillement, Baillet, Benoît et d'autres personnes fort importantes.

Entre 1740 et 1758; le pape publia l'Edit suivant .

"Jean a accompli merveilleusement bien la mission qui lui avait été confiée.. Il a amené avec lui Marie en partant pour Ephèse, et c'est là où la Mère heureuse quitta le monde et monta au Ciel".

Il y a encore plusieurs théologiens qui parlent de la présence certaine de la Vierge Marie à Ephèse. Lipsius convient définitivement que la Sainte Vierge avait suivi Saint-Jean jusqu'à Ephèse (Les Actes des Apôtres Apocryphes.

Brunswick, 1883, page 448).

Le savant Ernest Curtius va encore plus loin lorsqu'il dit: "Au début de notre siècle le tombeau de la Vierge Marie se trouvait à Ephèse" Il prononçait ces paroles à Berlin le 7 Février 1874, en s'adressant à un auditoire scientifique lors d'une conférence sur Ephèse.

On pourrait remplir des pages au sujet de la mort de la Sainte Vierge Marie et de son tombeau à Ephèse. C'est la raison pour laquelle pour la première fois, la chrétienté avoue officiellement son inclination religieuse pour ce lieu saint dont on remarque les grandioses ruines. Et depuis plusieurs années, au 15 Août, a lieu la fête religieuse de "Panaya Kapulu" auprès de la fontaine miraculeuse.

La vénérable Catherine Emmerich décédée en 1824 déclare que la Vierge est sans aucun doute morte à Ephèse et non pas à Jérusalem, et que les derniers vestiges de son tombeau se trouvent à une distance de 500 mètres. Elle ajoute qu'on peut voir la mer Egée de la montagne où se trouve la maison de la Vierge et explique dans tous les détails la route qui mène à la Vierge. C'est sans doute

Vue intérieure de la Maison de la Vierge, l'autel

une prédiction, une parole prononcée entre les années 1822 - 24 comme nous l'avons signalé ci-dessus. En 1892, 62 ans plus tad, les Lazaristes M. Poulain et M. Young originaires d'Izmir, qui se penchent aussi sur le problème d'Ephèse décident d'étudier sur les lieux-mêmes les déclarations qui avaient été faites par la religieuse de Bavière. En partant du mont Bülbül ils font des recherches d'après les visions qu'avait eues à l'époque cette vénérable religieuse qui n'avait jamais quitté son pays natal et qui n'avait aucune instruction. Pourtant le groupe ne savait pas comment s'orienter. Il n'existait d'ailleurs pas de sentier sur la montagne. Ils traversent les bruyères et cherchent partout. Ils finissent par découvrir, le troisième jour, le lieu cité par la voyante. Ils vont jusqu'à découvrir à Panaya Kapulu les cendres qui subsistaient dans l'âtre de la demeure de la Vierge. Ainsi sont découvertes à la fois la demeure de la Vierge et les ruines. Malheureusement la tombe de la Vierge située à 500 mètres de distance de sa demeure n'a pas été retrouvée et la question demeure insoluble. Les recherches n'ont pas donné de résultat. Ce sont plutôt les autorités compétentes en matière de religion et les archéologues qui pourraient aboutir à une solution au cours de travaux définitifs et scientifiques qui seront entrepris par les archéologues à Ephèse. La question n'est pas impossible à résoudre. La découverte de cette tombe est importante non seulement pour le monde de la chrétienté mais aussi pour toute l'humanité qui vénère la Saint Vierge et que vénère aussi beaucoup chaque musulman. La découverte de la tombe de la Vierge est aussi d'une importance capitale pour le monde islamique.

Le Coran dans plusieurs versets parle de la Vierge et accepte le fait qu'elle enfanta miraculeusement Jésus - Christ. Le monde islamique reconnaît Jésus comme prophète et éprouve une vénération illimitée pour sa mère.

Maison de la Vierge

L'ABSIDE DE L'ÉGLISE DE LA VIERGE MARIE

Le bâtiment situé au nord du gymnase de la ville a été transformé en église à la suite de l'autorisation accordée par l'empereur Constantin en 313 après Jésus-Christ afin que la religion chrétienne soit pratiquée librement. Il avait été consacré à la Vierge Marie et avait pris le nom d'Eglise mariale. La longueur de cette première basilique transformée en église et dont la forme a été modifiée par la suite atteignait 260 mètres. L'église s'élevait à l'emplacement d'un bâtiment qui servait de bourse du nom de Deigma. En 431 après Jésus-Christ un concile de 200 évêques s'y réunit, annonçant la naissance du catholicisme. Ainsi la Vierge était la mère de Dieu. Le 26 juillet 1967. le Pape Paul VI a prié devant la croix qu'on remarque sur la photo. La phrase "Summus pontifex Paulus Sextus in hac sacra aede preces effudit XXVI Juliianni MCMLXV" a été prononcée lors de cette visite.

Eglise de l'Haghia Maria

Porte de la Persécution

PORTE DE LA PERSÉCUTION

Elle se dresse à l'extrémité sud de la citadelle d'Ayasuluk qu'on peut voir sur la colline de droite à l'entrée de Selçuk quand on vient d'Izmir. Aux 7 ème - 8 ème siècles, lors des attaques arabes dans la région, on renforça les murs de la forteresse et on pratiqua cette ouverture dénommée porte de la Persécution. Après avoir franchi cette porte voûtée protégée par deux hautes tours, on débouche dans une petite cour. Quand l'assaillant avait réussi à passer l'entrée, après avoir pénétré dans la cour, il était exterminé dans cet étroit espace par les occupants de la place qui menaient l'assaut du haut de la muraille. La porte de la Persécution constitue l'un des derniers exemples de portes à cour en Anatolie.

LA CITADELLE INTERNE ET EXTERNE

A l'époque romaine, la colline d'Ayasuluk sur laquelle fut érigée l'église Saint-Jean était oc-cupée par une nécropole. La population d'Ephèse, ville dont l'importance économique avait diminé au 5 ème siècle, s'était installée sur cette colline dont la position stratégique était importante et l'avait entourée d'une muraille. A la même époque, tout au sommet de la colline, on avait construit une forteresse interne, dernier refuge contre l'ennemi. La citadelle externe est percée de trois portes, respectivement au sud, à l'ouest et à l'est Jusqu'au Moyen-Age, les murailles ont subi de fréquentes restaurations. C'est là que, conformément à ses dernières volontés, on enterra l'apôtre Saint-Jean. Au 4 ème siècle, on érigea une petite basilique à l'emplacement de sa tombe. Plus tard, sous l'empereur Justinien, celle-ci fut détruite et remplacée par l'église Saint-Jean qu'on voulut aussi magnifique que le temple d'Artémis situé tout près de là, une des sept merveilles du monde. La mosquée d'Isabey (1374), sise entre le temple et l'église et rivalisant en magnificence avec ces deux sanctuaires, date de l'installation des Turcs dans la région.

Basilique Saint-Jean et vue d'ensemble de la citadelle

Tombeau de Saint-Jean

L'ÉGLISE SAINT-JEAN

D'une longueur de 130 m., elle offre un plan cruciforme. A l'extrémité sud, se trouve un atrium entouré d'un péristyle qui est séparé de l'église proprement dite par un narthex. L'église est à triple nef. Le tombeau de Saint-Jean a été disposé dans la nef centrale, devant l'abside. Des piliers massifs supportant les six grandes coupoles de l'édifice se dressaient entre chaque nef. Entre les piliers, des colonnes veinées bleu et gris s'élevaient sur deux étages. Les chapiteaux de celles de l'étage inférieur sont ornés des monogrammes de l'empereur Justinien et de sa femme Théodora. Devant l'abside, on peut voir un escalier étroit qui mène au tombeau de l'Evangéliste et une fenêtre horizontale. D'après une croyance, une poudre miraculeuse provenait de cette fenêtre et, au Moyen-Age, elle attirait de nombreux malades venus chercher un remède à leurs maux. Les mosaïques qui ornent le tombeau ont été exécutées à une date postérieure d'après l'original.

LA CHAPELLE À FRESQUE

Au nord du tombeau, l'édifice coiffé d'un toit de bois est une petite chapelle qui date du 10 ème siècle. Une fresque en assez bon état de conservation décore l'abside qui a la forme d'un bassin. On y voit, au centre, le Christ avec, à sa droite, un saint dont on ignore l'identité. Contigu à la chapelle, l'édifice de plan octogonal et à deux étages est le Trésor de l'église.

La chapelle à fresque

Mosquée d'Isa Bey

LA MOSQUÉE ISA BEY

Si l'on porte ses regards du mont Ayasuluk (Saint-Jean) vers l'ouest, on remarque le panorama représenté sur la photographie. La mosquée fut construite en 1375 par İsa Bey, fils de Mehmet Bey appartenant à l'émirat des Aydınoğulları qui sont les légataires des Seldjoukides. Ce bâtiment qui repose sur un terrain d'une dimension de 51x57 m. est occupé pour ses deux tiers par la cour et un tiers par la mosquée. On pénètre à l'intérieur dont la coupole a été détruite, par la porte ouest. On entre dans la mosquée elle-même par une porte à triple arcature. Les coupoles couronnant les arcades et dont deux sont supportées par deux colonnes en granit noir, sont ornées de faïences blanches et bleues. Comme on l'observe pour les constructions de cette région, le matériau employé dans cette mosquée provient d'Ephèse. Les colonnes en granit et leurs chapiteaux ornaient à l'origine les thermes du port. Comme on le remarquera, l'un des deux minarets est intact jusqu'au balcon

FAÇADE DE LA MOSQUÉE ISA BEY

Sa véritable façade est située là où se dresse le minaret. Le portail et les fenêtres sont décorés de motifs assez riches. Il y avait jadis des arches en bois soutenant les coupoles. Bien que la construction ait été réalisée avec des pierres, de réemploi, dans son ensemble elle présente une certaine harmonie, et elle a été érigée avec cette intention.

LE TEMPLE D'ARTÉMIS (DIANE)

Quand l'on vient de Selçuk, à droite de la route qui mène à Kuşadası et à Ephèse, du côté de la mosquée İsa Bey, on aboutit à une dépression occupée par des champs. Comme on le remarque sur la photo, celle-ci se transforme en une petite mare au printemps. C'est là que s'élevait, à l'époque, l'Artémision qui joua un rôle très important dans la vie religieuse et sociale d'Ephèse. Les Amazones auraient, paraît.-il, construit le premier temple. Lorsque Crésus, roi de Lydie, arriva à Éphèse, il remarqua le sanctuaire dont les Ephèsiens avaient confié l'érection à l'architecte crétois Chersiphon et à son fils Métagénès et il fit cadeau de colonnes sculptées de bas-reliefs. 200 ans plus tard (356), ce temple d'époque archaïque fut incendié par un fou nommé Hérostrate. C'est alors que l'Artémision connu comme l'une des sept merveilles du monde fut reconstruit avec les mêmes dimensions soit 425 pieds de long sur 225 pieds de large et 60 pieds de hauteur, comprenant 120 colonnes de style ionique.

On remarque au loin la mosquée İsa Bey et Ayasuluk où se dresse l'Église Saint-Jean. A l'arrière plan est située la citadelle d'époque byzantine.

Le temple exista jusqu'àu III ème siècle après Jésus - Christ. Il fut pillé en 263 au cours de l'attaque des Goths et fut dévasté. Une grande partie de ses colonnes furent transportées à Istanbul et servirent à la construction de Sainte-Sophie qui est actuellement un musée. La première étincelle jaillie dans l'écroulement du temple alluma en même temps la torche de la culture d'Ephèse qui devait briller éternellement.

Les vestiges du temple ont été découverts pour la première fois au XIX ème siècle par des Anglais, à la suite de grands travaux. Plusieurs fragments d'une grande valeur architecturale ayant appartenu au Temple d'Artémis se trouvent actuellement au British Museum. Des objets précieux en or et en ivoire, sont actuellement exposés au musée archéologique d'Istanbul et au musée d'Ephèse.

Emplacement de l'Artémision au premier plan

La Belle Artémis

LE STADE

Différentes compétitions sportives ainsi que des courses de chars s'y déroulaient. A droite un terrain rond servait aux jeux de gladiateurs La voûte de gauche était utilisée pour mettre les animaux arrivés des pays chauds, voûte qui faisait le tour du le stade Sur la colline de droite se trouvaient des gradins réservés aux spectateurs, gradins en forme d'amphithéâtre.

Le Stade

LA PORTE DU STADE

Le stade a été construit en 54-63, au premier siècle après Jésus-Christ, sous l'empereur Néron C'est une oeuvre entièrement romaine. La porte qui figure sur l'image est du III ème ou IV ème siècle après Jésus-Christ. Il semble que le stade ait pu contenir environ 13.000 spectateurs. Les gradins qui ont maintenant disparu avaient été transportés là pour la construction des bâtiments situés à Saint-Jean sur la colline d'Ayasuluk. La voie qui menait de la ville au temple. d'Artémis commençait là. L'avenue en marbre débute aussi à cette porte (Coressos) pour se terminer à l'époque à la porte de Magnésie.

Porte du Stade

Thermes du Port

LES THERMES DU PORT

Entre la double église et l'avenue du port on peut voir des vestiges de bâtiments construits en pierres gigantesques et en marbre travaillé avec goût. Ces bains situés à 200 mètres au sud de l'église appartiennent à la seconde époque romaine (IIème siècle après Jésus-Christ) Au IVème siècle l'empereur Constantin fit restaurer les thermes qui à partir de cette date, prirent son nom. La photographie représente la grande salle et on y voit des socles sur lesquels étaient placées des statues de grande valeur. Il y avait au nord de cette salle une grande piscine couverte. Les merveilleuses colonnes en granit qui ornaient cette salle supportent actuellement les coupoles de la mosqué Isabey. Les fouilles du tepidarium et du caldarium n'ont pas encore été effectuées. Il paraît qu'une statue en bronze a été découverte lors des fouilles de 1926 et qu' elle a été transportée au Musée de Vienne.

PIÈCE D'ARCHITRAVE

Elle se trouve dans les thermes du port.

LES BASSINS DANS LA COUR DES THERMES DU PORT

En venant de la voie du port, on pénètre dans la cour des thermes. Celle-ci de forme ellipti-que est entourée de portiques. De chaque côté de la porte monumentale entre la cour et les thermes se trouvent des bassins rectangulaires dont les côtés sont décorés de têtes de taureaux portant des guirlandes.

Thermes du Port

LE PORT ET LA VOIE ARCADIANÉ

Elle était d'une longueur de 530 mètres sur une largeur de 21 mètres et reliait le grand théâtre au port. Cette voie, qui était l'artère principale de la ville, ayant été restaurée par l'empereur Arcadius (395-408 après Jésus-Christ) avait été nommée voie Arcadiané en son honneur. La partie centrale est pavée de marbre. La chaussée pour les chars située au milieu est large de 11 mètres et le trottoir bordé de portiques de chaque côté fait 5 mètres. A la lumière des fouilles, on sait que l'avenue était éclairée la nuit par des lanternes et qu' elle était parée de statues. On remarque une porte du port là où l'avenue aboutissait au port. Celle-ci existe de nos jours dans toute sa splendeur. Mais les abords étant marécageux il n'a pas été possible de la photographier. Une canalisation se trouvait sous l'avenue. La colline située au fond est l'endroit où Saint-Paul a été emprisonné et c'est la raison pour laquelle on la nomme la prison de Saint Paul.

Voie Arcadiané

Au milieu de la voie portuaire se dressent quatre colonnes monumentales qu'on suppose dater du 4 ème siècle. Une seule d'entre elles a été restaurée. Bien qu'on ne sache pas exactement dans quel but elles furent érigées, on croit savoir qu'elles étaient couronnées par les statues en bronze des quatre évangélistes.

Vue sur le théâtre prise de l'Avenue du Port

L'AGORA

A droite de la rue de marbre qui continue après le théâtre, on reconnaît une stoa en cours de restauration remontant à l'empereur Néron. La restauration de la Porte sud est maintenant achevée. Une rangée de boutiques de dimensions identiques entourait l'agora. Devant celles-ci, se dressait une rangée de colonnes. Une clepsydre occupait le centre de l'agora, celle-ci se trouve actuellement dans la galerie est pour cause de restauration. L'agora date de la période hellénistique; sous l'empereur Auguste, elle subit d'importantes transformations.

Colonnes à chapiteau corinthien de l'agora

LE GRAND THÉÂTRE

Au début de l'avenue du port sur le versant ouest de la colline Panayır (Mont Pion) se dresse le théâtre avec un mur de scène assez haut, comme on le remarque sur la photographie. Ce théâtre était en partie enfoui sous le sol, jusqu'en 1964, Oeuvre d'art assez importante il est l'un des bâtiments d'Ephèse qui ait été conservé jusqu'a nos jours. Il est à trois étages. Le mur de fond de la scène orné de colonnes, de statues, de niches et de bas-reliefs a été construit par Néron au premier siècle après Jésus-Christ, et la troisième partie par Septime Sévère (fin du II ème siècle).

Le grand Théâtre

L'ORCHESTRE DU GRAND THÉÂTRE

On donne le nom d'orchestre à la partie semi-circulaire située entre le bâtiment de scène et les gradins du théâtre. Aux périodes antiques, pendant les représentations, le choeur en rangée simple ou double se tenait là et quand venait son tour, il n'était plus qu'une seule voix. L'orchestre du théâtre d'Ephèse est en assez bon état de conservation. Au cours des fouilles, on a dégagé des vestiges du théâtre de la période hellénistique.

LE GRAND THÉÂTRE

Ce sont les empereurs Claude (41-54 après Jésus-Christ) et Trajan (98-117 après Jésus-Christ) qui ont restauré ce théâtre qui peut facilement contenir 25.000 spectateurs et qui comporte trois séries de vingt-deux rangées de gradins. Le théâtre a un diamètre de 50 mètres. Dans sa partie supérieure, un route se dirige vers l'avenue des Courètes. Une grande partie des pierres du théâtre a été enlevée et reemployée. Ce grand monument d'Ephèse a laissé sa trace dans l'histoire non seulement du christianisme mais aussi de la lutte contre les païens. L'antagonisme existant entre les adeptes de Jésus et ceux d'Artémis s'est déroulé menés dans ce théâtre durant les premières années du christianisme, contraignant finalement Saint-Paul à quitter la ville après avoir été enfermé dans la prison située sur la colline qu'on remarque au fond.

Le grand Théâtre

Le grand Théâtre

31

Le grand Théâtre

LA PORTE DE MAZEUS ET DE MITHRIDATE

Entre la bibliothèque et la partie sud de l'agora, on remarquera gravées dans le marbre des inscriptions magnifiques en grec et en latin. L'une de ces deux inscriptions figure sur la photographie. Mazeus et Mithridate étaient deux esclaves, affranchis par l'empereur Auguste. En signe de reconnaissance, ces derniers avaient fait graver ces lignes au nom de l'empereur, de son épouse Livie, de sa fille Julie et de son gendre Agrippa. Nous franchissons les vestiges de cette porte à trois arches hautes de 16 mètres. La partie supérieure des inscriptions était recouverte à l'époque de bronze ou d'or.

Porte de Mazeus et de Mithridate

LA BIBLIOTHÈQUE DE CELSIUS

Cette bibliothèque a été construite par C. Julius en l'honneur de son père C.J. Celsius gouverneur général d'Asie, en 135 après Jésus-Christ. On y accède par un escalier de 9 marches. On pouvait voir en montant les marches quelques statues représentant la Justice, la Vertu etc. Les niches qui se trouvent sur les murs latéraux sont des étagères pour les manuscrits et les parchemins. Des plaques en forme de tables se trouvaient devant les niches, elles étaient formées par des colonnes ioniques. L'inscription située au nord de la bibliothèque est en latin, celle du sud est en grec et parle de Celsius et de son fils Achille.

La tombe de Celsius est située en dessous de la bibliothèque. Il faut franchir à droite un étroit corridor courbe de 15 mètres, et descendre quelques marches pour se rendre au tombeau. C'est un splendide sarcophage en marbre blanc de 2.5 mètres de long, orné de bas-reliefs représentant un serpent, Nike, Eros et la Méduse.

Un autre tombeau d'époque byzantine a été découvert sous l'escalier qui mène à l'avenue de marbre. On remarque au fond une plaque en plomb sur laquelle reposait le corps du mort.

Bibliothèque de Celsius, début du 2ème siècle de notre ère.

Bibliothèque de Celsius, début du 2ème siècle de notre ère.

Bibliothèque de Celsius, statue de la Vertu

Bibliothèque de Celsius, statue de la Sagesse

L'AVENUE DE MARBRE

C'est l'artère principale de la ville avec un système de canalisations aménagées dessous. Elle débute à la porte de Coressos au nord, franchit la porte de Magnésie au sud et va jusqu'à la grotte des Sept Dormants et jusqu'au temple d'Artémis. Le long de cette avenue de quatre kilomètres et sur l'allée située sur la partie gauche se trouvaient des colonnes de huit mètres de haut couronnées de très belles frises en marbre.

Avenue de marbre, bibliothèque de Celsius et Agora

LE TEMPLE DE SÉRAPIS

Construit au cours du II ème siècle après Jésus-Christ, en l'honneur de Sérapis, dieu d'Egypte, sa façade avant s'élève à 29 mètres si l'on tient compte de la base des colonnes et du frontispice. Le portique était orné de huit colonnes gigantesques en marbre d'une poids de 50 tonnes et d'une hauteur de 15 mètres. Elles étaient à chapiteau corinthien. La photo représente les restes des fûts de ces colonnes On avait accès à la salle principale en traversant l'avenue du marché. Ces colonnes étaient entourées à leur tour par d'autres colonnes. On passe de la salle principale à la petite salle par un escalier de 12 marches.

Temple de Sérapis

Toilette Publique (Latrine) 1er siècle de notre ère

DALLE MARQUÉE D'UNE EMPREINTE DE PIED SIGNALANT LA MAISON CLOSE

L'empreinte de pied signale la direction à prendre pour se rendre à la maison close située sur l'avenue de marbre. Vous la remarquerez au milieu de l'avenue de marbre en allant vers le théâtre.

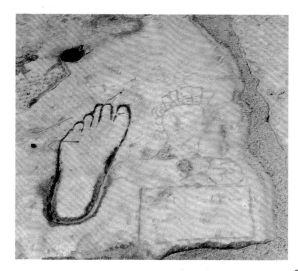

LA MAISON CLOSE

Une propreté beaucoup plus grande que celle observée dans les maisons closes actuelles devait être de règle dans cette maison close éphésienne. Avant de traverser un couloir étroit pour se rendre à la grande salle, les clients devaient se laver les mains et les pieds.

Cette maison qui possédait tout un systéme sanitaire avait été consacrée à Vénus. C'est la raison pour laquelle on a découvert des statuettes dédiées à Vénus (Aphrodite) dans cette salle dont les murs étaient recouverts de marbre. Les femmes attendaient dans la grande salle. Elles se rendaient avec les hommes qui les choisissaient dans de petites chambres sans fenêtres. Puis on se rendait aux bains qui figurent sur les autres illustrations. On se lavait et on se reposait.

Maison close

LES THERMES DE SCHOLASTIKIA

En forme de salon la partie supérieure de ces bains qui possédaient un système de chauffage par air chaud arrivant du bas, a été détériorée et est en ruines. Il y avait une piscine, un bain chaud (caldarium), un bain tiède (Tepidarium) un bain froid (frigidarium) et un endroit pour se déshabiller (Apodyterium). Ces thermes à trois étages datent du II ème siècle après Jésus-Christ, ils ont subi plus tard de nombreuses réfections et ont été transformés au IV ème siècle de façon à pouvoir contenir des centaines de personnes. Il existait aussi des chambres privées indépendamment des salles publiques. Celui qui le désirait pouvait rester là pendant des journées. La chaudière et les foyers fournissaient de la chaleur aux salles de bain, aux salons et aux chambres de ces thermes si grands. De la troisième partie, seule une grande arcade subsiste.

Caldarium des Thermes de Scholastikia

LA STATUE DE SCHOLASTIKIA

C'est la statue de la femme qui fit restaurer ces thermes qui étonnent encore le monde et provoquent son admiration Une porte s'ouvrait sur un escalier de cinq marches qui menait au grand théâtre. Nous avons devant nous la seconde partie des bains.

Statue de Scholastikia qui fit restaurer les thermes, 4 ème siècle de notre ère.

L'AVENUE DES COURÈTES

Lysimaque a fait reconstruire l'avenue qui était connue comme voie sacrée. Bordant l'avenue, on peut voir à droite le temple d'Hadrien finement travaillé et à gauche une rangée de colonnes

Avenue des Courètes

L'AVENUE DES COURÈTES ET LE TEMPLE D'HADRIEN

Théodose en l'an 391 après Jésus-Christ fit restaurer le temple en question et l'ouvrit au public en l'honneur de son père le général Théodose qui avait été condamné sans aucune raison. Les ruines situées juste en face du Temple sont celles des pensions réservées aux riches.

Temple d'Hadrien

L'AVENUE DES COURÈTES

Vue donnant vers le bas, un peu avant l'ensellement entre le mont Pion et le mont Coressos. La statue acéphale de droite est celle d'une doctoresse qui rendit de grands services à l'époque byzantine. Sur la route se dirigeant vers le sud se dressait la statue de Memmius petit-fils de Sylla, dictateur de Rome. Devant , se trouvait une fontaine désignée sous le nom de Hydreion.

Avenue des Courètes

LA FONTAINE DE TRAJAN

C'est la seconde construction restaurée située au pied du mont Panayır (mont Pion), après le temple d'Hadrien, à gauche en montant. Elle fait 12 mètres de haut. La fontaine est à deux étages dont le premier faisait 7 mètres et le deuxième 5. On a découvert là 12 statues de Vénus, de Satyre, de Dionysos ainsi que des grands de la famille impériale. Erigée à la fin du I er siècle elle a été dédiée à l'Empereur Trajan.

Fontaine de Trajan

NIKE, DÉESSE DE LA VICTOIRE

Des bas-reliefs montrent Nike la déesse ailée de la Victoire. On remarque dans sa main gauche une couronne de lauriers qui représente la Victoire et dans sa main droite un épi de blé. Elle donne l'impression de planer. C'est une oeuvre de la période romaine qui a été découverte parmi les ruines de la place de Domitien.

Bas-relief de Nike, déesse de la Victoire

Fontaine de Pollio

LA FONTAINE DE POLLIO
Début du 1 er siècle
avant J.-C

La fontaine a été construite au 1er siècle av. J.C. près du temple de Domitien par C. Offilius Proculus en l'honneur de C. Sextilius Devant cette fontaine dont la voûte a été reconstituée se trouvait un bassin pavé de marbre avec plusieurs statues d'aspect ornemental. L'une de ces statues représentant un soldat au repos se trouve actuellement dans le musée de Selçuk.

PORTE D'HÉRACLÈS

Si l'on ne continue pas la route qui mène de l'avenue des Courètes vers le Temple de Domitien et que l'on se dirige vers le Palais Municipal, on passera à côté de ces deux Hercules qui figurent sur la photographie.

Porte d'Héraclès

LE MONUMENT DE MEMMIUS

C'est l'un des monuments qui orne la place de Domitien. Il a été construit au premier siè-

Parapet à colonnes devant le Temple de Domitien

cle après Jésus-Christ en l'honneur de Memmius et une fontaine a été ajoutée plus tard devant le monument qui présente plusieurs bas-reliefs.

LE TEMPLE DE DOMITIEN

C'est le premier temple à escalier monumental que l'on remarque sur la prolongation de l'avenue en marbre. Ce temple est à deux étages avec au premier des dépôts, et des magasins et au second le temple proprement dit. Ce monument qui symbolise l'amitié avec Rome fut construit en l'honneur de l'empereur Domitien au Ier siècle après J.C.
Domitien bien connu en tant que dernier César a été tué par un esclave à la suite d'un complot organisé par sa femme.

Vue générale des maisons sur la pente

Vue de la Maison à péristyle

LA MAISON À PÉRISTYLE

Elle fut découverte lors des fouilles de 1969. L'atrium central avec son bassin est entouré de salles décorées de fresques et de mosaï-ques. On remarque de très belles figures sur un sol en mosaïque. Les murs de l'atrium sont recouverts de marbre jusqu'à une certaine hauteur. Elle a été habitée pendant 3 à 4 siècles à partir du 1er siècle après Jésus-Christ.

Maison à péristyle B2 (vue du nord-est)

Plan de la maison B (Maisons sur la pente)

*Mur septentrional de la salle de théâtre;
panneau supérieur scène représentant la
lutte entre Hercule et Achille*

*Mur sud de la salle de théâtre;
fresque de femme tenant une rangée de perles*

Fresque de la salle de théâtre (Maison sur la pente)

LE PALAIS (PRYTANÉE) DE LA MUNICIPALITÉ

Pendant longtemps on a déployé de grands efforts pour le mettre au jour. En plus des colonnes qu'on remarque sur la photographie, on a découvert des inscriptions et des statues de Diane. On peut voir tout autour des salles et au centre, le lieu de sacrifice. Le palais aurait été construit sous l'empereur Auguste. Il était pré-cédé d'un jardin sur le devant.

C'était à la fois le lieu d'où l'on dirigeait les travaux de la municipalité et aussi le siège du Gouvernement de province. Les colonnes visibles sur la photo étaient à l'époque au nombre de quatre, elles avaient été érigées pour soutenir le plafond de la salle où brûlait la flamme divine. Lorsqu'une nouvelle province était ajoutée à la Municipalité, la flamme était retirée de cette place.

Le Palais (Prytanée) de la Municipalité

Le Palais Municipal

LE PALAIS MUNICIPAL

A la suite des fouilles entreprises, on trouva à l'est du palais municipal les murs de temenos de deux temples. Ces temples ont disparu par la suite sous les bâtiments que les Byzan-

Les Thermes de Varius

tins avaient construits. Les trois statues d'Artémis découvertes à Ephèse l'ont été à l'emplacement qui figure sur cette photographie. Des statuettes d'Artémis ont été mises au jour en 1956 et elles avaient été semble-t-il conservées dans cet emplacement.

LES THERMES DE VARIUS

Il semble qu'ils aient été utilisés plus tard comme gymnase. Dans la partie située à côté du rocher on a découvert le caldarium qui a été dégagé. Indépendamment du frigidarium et du tepidarium, plusieurs salles de repos, de lecture et de conversation existent dans ce bâtiment construit au II ème siècle mais plus tard, soit il y a eu restauration soit de nombreuses modifications y ont été apportées. Au milieu, on remarque parmi les vestiges un lieu d'aisances dont les pierres pour s'asseoir manquent.

ODÉON-BOULEUTÉRION

Il a été construit par Védius Antonius et son épouse (II ème siècle après Jésus-Christ). C'est à la fois un théâtre et un lieu de concert qui pouvait contenir 1500 personnes. Ayant la forme d'un amphithéâtre, on dénombrait 22 gradins. La partie supérieure était parée de colonnes en granite rouge de style corinthien. L'entrée se faisait par quelques marches des deux côtés de la scène. Il semble que la partie supérieure du théâtre fût couverte. On n'a rien découvert concernant l'écoulement des eaux de pluie.

Odéon - Bouleutérion

LA GROTTE DE SEPT DORMANTS

La légende raconte que c'est là où s'étaient réfugiés sept jeunes gens qui fuyaient les persécutions des païens à l'époque de l'empereur romain Décius (III ème siècle après Jésus-Christ). Ils s'étaient cachés dans ces grottes avec leur chien et furent plus tard assassinés. On raconte qu'ils ressucitèrent au V ème siècle 200 ans plus tard à l'époque de l'empereur Théodose II. Plusieurs de ceux qui croyaient au Christ voulurent être inhumés là et ils le furent. Ainsi naquit une nécropole aux 1000 tombes, églises et mausolées. L'emplacement s'agrandit jusqu'au XII ème siècle. Puis le lieu fut détruit. Il est situé au pied du Mont Panayır (Mont Pion) tourné vers Selçuk. Cette légende que nous mentionnons ci-dessus existe non seulement à l'époque du

christianisme et dans le monde chrétien, mais aussi dans le monde musulman sous le titre de "Eshab-ül Kehf"

STATUE DE LA VIERGE AUX OLIVIERS

On se rend à Panaya Kapulu en empruntant une route asphaltée mais sinueuse. On atteint une colline qui se trouve à une altitude de 450 m d'altitude et après avoir descendu une pente de 100 mètres, on aboutit à une plaine sereine assez peuplée où se dressent des bâtiments. On doit s'avancer vers la gauche. En se dirigeant vers les oliviers on peut voir la statue da la Vierge qui semble vous souhaiter la bienvenue en levant les bras. Des milliers de pélerins s'y rendent quotidiennement, particulièrement les jours de fêtes en passant avec respect devant cette statue. On peut aussi y accéder par Kuşadası.

La Vierge aux oliviers

LA MAISON DE LA VIERGE

Comme on le remarque sur l'illustration, des cérémonies religieuses s'y déroulent et l'on y respire une atmosphère de vénération. Le Pape Benoît a dit pour Ephèse: "Jean qui s'est rendu à Ephèse a pris avec lui la Vierge Marie, et cette heureuse mère s'est envolée d'ici vers les cieux".

LA MAISON DE LA VIERGE

Visionnaire, Catherine Emmerich en avait parlé deux ans avant sa mort (1774 - 1824) mais le lieu fut découvert au cours de recherches dirigées par les Pères Poulin et Young en 1892. La maison actuelle est une restauration. Lorsque la demeure fut découverte, le toit s'était affaissé et il ne subsistait que des pans de murs. Certains avancent que cette maison représente les vestiges d'une ancienne église qui fut par la suite abandonnée à la Vierge. La maison est carrée et elle est construite en pierre. La partie arrière est ronde ou octogonale.

La Maison de la Vierge

INTÉRIEUR DE LA MAISON DE LA VIERGE

Pour pénétrer à l'intérieur, on franchit la petite porte que l'on peut voir sur la photo et l'on aboutit à une petite salle. Le Pape Léon XII, le Pape Pie X, le Pape Léon XIII sont tous du commun avis que la Vierge a vécu là. Ils ont jugé que la demeure méritait de devenir un lieu de pélerinage nommé PANAYA KAPULU. Après avoir visité la maison de la Vierge, ne partez pas sans aller découvrir un peu plus bas une fontaine miraculeuse.

Autel de la maison de la Vierge

Intérieur de la Maison de la Vierge

LA FONTAINE DE LA VIERGE

La Vierge a vécu ses derniers jours (30-35 après Jésus-Christ) en buvant l'eau de cette fontaine miraculeuse. Les cendres de l'âtre utilisé par la Vierge passent pour être aussi miraculeuses. Des cancéreux condamnés par les médecins, des impotents dans de petites voitures, des enfants infirmes de naissance ont tous recouvré là la santé et nombre d'entre eux ont retrouvé le chemin de la foi au moment où ils allaient mourir.

La Fontaine de la Vierge

LA BELLE ARTÉMIS

Bien qu'elle porte le même nom que son frère Apollon, elle ne possède pas les mêmes particularités. La déesse d'Ephèse était la maîtresse de la nature et des animaux et surtout la mère protectrice des jeunes filles. D'après ce que l'on sait sur elle, Artémis est représentée avec deux animaux. Ceci laisse entendre que la déesse grecque de la chasse, Artémis a donné aussi son nom à la déesse d'Ephèse. La statue a été découverte ensevelie sous terre dans une des salles du palais municipal. La partie au-dessus de la taille est recouverte d'une couche d'or. Le visage est bien empreint de la marque divine. Les sceptres qu'elle portait dans ses mains n'ont pas été retrouvés. On remarque par contre les oeufs, symbole de l'abondance, les signes du Zodiaque qui parent son collier et les déesses de la victoire. La partie inférieure de la statue a été ornée de divers animaux mythologiques. Un halo entoure sa tête. Cette statue est une copie de la statue originale qui se trouvait dans le temple d'Artémis, l'une des sept merveilles du monde. Elle date du II ème siècle après Jésus-Christ et c'est l'oeuvre la plus précieuse du musée. Et comme toutes les déesses, la déesse d'Ephèse, Artémis, a sombré dans l'histoire.

SARCOPHAGE ROMAIN

Ce sarcophage est décoré de guirlandes, de figures d'Eros et de Nike ainsi que de têtes de Méduse et des têtes des propriétaires. Une partie du couvercle est brisée. Le sarcophage a été placé devant le musée.

LA STATUE DE DIONYSOS

C'était l'une des statues qui ornaient la fontaine de Trajan à Ephèse. C'est la copie d'une oeuvre de l'époque romaine sculptée au début du II ème siècle après Jésus-Christ. On remarquera une grappe de raisin entre les cheveux. Elle est exposée au musée.

DAUPHIN ET ÉROS

La statue a été découverte près de la fontaine de Trajan (II ème siècle après Jésus-Christ) Elle est en bronze. Elle servait de fontaine. C'est l'une des plus belles oeuvres du musée d'Ephèse du point de vue de la composition.

PRIAPE OU LE DIEU BÈS

La statuette en terre cuite mise au jour lors des fouilles de la maison close d'Ephèse doit sa célébrité à son phallus démesuré. Elle représente le dieu de la nature.

TÊTE D'ÉROS

Elle est en marbre et a été découverte aux alentours de l'Odéon. C'est une copie de l'oeuvre du fameux sculpteur grec Lysippe "Eros qui tire à l'arc", statue en bronze, sculptée à l'époque romaine. Les autres parties du corps sont restées introuvables. La statue est exposée au musée.

LA COLOSSALE ARTÉMIS

Elle ressemble beaucoup à l'Artémis d'Ephése. Conçue un peu plus grande que les autres, elle a la tête surmontée d'une coiffure ou "polos". Découverte dans le palais municipal, en parfait état de conservation, elle date du 1 er siècle avant Jésus-Christ. Au cours des fouilles qui ont été entreprises durant le siècle dernier trois statues de la déesse Artémis ont été dégagées. Toutes les trois se trouvent au musée d'Ephèse. La photographie représente la plus grande des trois. Dès le premier coup d'oeil, on voit que les statues n'ont aucun rapport avec l'art grec et qu'au contraire le thème de la déesse Artémis vient de l'Orient. On notera sur les statues les motifs d'animaux se rapportant aux contes: abeilles, agneaux, têtes de lion, crabes, et boeufs. La déesse porte une robe parée de ces motifs. Ses seins sont ornés de ronds en forme d'oeufs. Comme ils ressemblent à des seins, on a souvent confondu ces derniers avec des "seins multiples". Mais ces ronds représentent en fait des oeufs et non pas des seins.

Fresque de Socrate

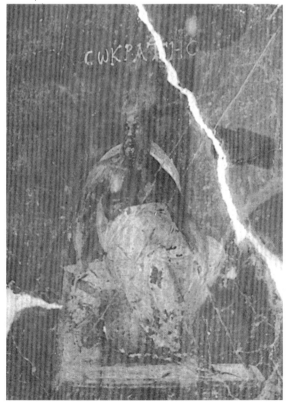

La colossale Artémis

FRESQUE DE SOCRATE

Elle a été découverte dans la chambre de Socrate dans le palais sis sur la colline d'Ephèse. Le philosophe est assis sur un banc et tient un sceptre dans sa main. Son nom figure au-dessus de son portrait. C'est l'une des plus belles oeuvres du musée.

Statue de Combatttant

STATUE DE COMBATTANT

Découverte devant la fontaine Pollio (en face du Temple de Domitien), elle représente un homme en train de se reposer devant la fontaine. Il tenait de la main gauche une épée et un bouclier. Il avait un objet dans la main droite. Il possède un visage vivant et une bonne anatomie du corps, bien que la statue ne soit pas intacte. Elle est exposée au Musée.

AUTEL DU TEMPLE DE DOMITIEN

Les vestiges exposés dans le jardin du musée proviennent du Temple de Domitien. Les bas-reliefs constituent une partie de l'autel du Temple de Domitien qui avait été construit au 1 er siècle après Jésus-Christ. Ont été sculptés des trophées de guerre qui signalent la victoire.

Autel du Temple de Domitien

TÊTE DE ZEUS

C'est une oeuvre faisant partie du groupe de statues provenant de la fontaine Pollio qui avait été construite au milieu du 1 er siècle. La tête, en bon état de conservation, a une expression divine. Elle est en marbre et exposée au Musée

BUSTE DE MARC-AURÈLE

Le buste est en marbre et date du 3 ème siècle après J.-C.

TÊTE DE SOCRATE

Elle provient du palais à flanc de coteau (Yamaç Saray). Bien que brisé, le visage nous reflète l'expression du philosophe Socrate. C'est une oeuvre d'époque romaine. Elle se trouve au Musée.

KUŞADASI

A 92 km. d'İzmir. C'est un port d'embarque-ment ayant une grande importance touristi-que dans la région égéenne. Lieu de villégia-ture d'Ephèse à l'époque hellénistique, la ville s'appelait alors Néopolis. Elle a gardé sa si-tuation importante comme du temps des Gé-nois, des Vénitiens, des Seldjoukides et des Ottomans.

Les motels avec leurs plages s'étendent tout au long de ses côtes ce qui lui donne une belle vue panoramique ainsi qu'on pourra le voir sur les autres photographies.